U0100907

果仁小镇

拯救花生卡洛斯

张合军　著
[乌克兰] 尼古拉·洛马金
[乌克兰] 柳德米拉·奥西波娃　绘

GUANGXI NORMAL UNIVERSITY PRESS
广西师范大学出版社
·桂林·

出版统筹：施东毅
品牌总监：耿　磊
选题策划：陈显英 霍　芳
特约策划：闫晓玫
责任编辑：李茂军
助理编辑：霍　芳
美术编辑：卜翠红
营销编辑：杜文心 钟小文
责任技编：李春林
特别鸣谢：果仁小镇（北京）科技有限公司

图书在版编目（CIP）数据

拯救花生卡洛斯 / 张合军著；（乌克兰）尼古拉・洛马金，（乌克兰）柳德米拉・奥西波娃绘. —桂林：广西师范大学出版社，2019.1
（果仁小镇）
ISBN 978-7-5598-1333-6

Ⅰ. ①拯… Ⅱ. ①张…②尼…③柳… Ⅲ. ①儿童故事－图画故事－中国－当代 Ⅳ. ①I287.8

中国版本图书馆 CIP 数据核字（2018）第 243049 号

广西师范大学出版社出版发行
（广西桂林市五里店路 9 号　邮政编码：541004
网址：http://www.bbtpress.com）
出版人：张艺兵
全国新华书店经销
北京尚唐印刷包装有限公司印刷
（北京市顺义区牛栏山镇腾仁路 11 号　邮政编码：101399）
开本：889 mm × 1 060 mm　1/16
印张：2.75　　字数：61 千字
2019 年 1 月第 1 版　　2019 年 1 月第 1 次印刷
定价：45.00 元

致子妍、隽菘、玉子、子雯、二郡，

果实压弯枝头，你们笑得直不起腰……

这本书是儿童的完美礼物，是出乎我们意料的艺术成就，中乌两国素昧平生的艺术家为读者呈现出的新的童话世界令人惊叹。父母给孩子读这样一本魔法书，将向他们展示世界的多样性和美好愿望的力量。

——［乌克兰］尼古拉·洛马金

在这个充满爱与渴望的世界，为了梦想而面对挑战，希望所有的孩子都能幸福，祝愿所有孩子开心的愿望都能实现。

——［乌克兰］柳德米拉·奥西波娃

果仁小镇入口
Welcome

这天夜里，鹅毛般的大雪花被猛烈的西北风吹成各种动物形状：白色的马群，白色的老虎、狐狸、仙鹤……

果仁们正在大粮仓的窗前看着这奇异的自然景观。“看啊！有一位老爷爷！”顺着火龙果千慧手指的方向，大家看到一位瘦弱的老人艰难地在风雪里行走。

“我们快请老爷爷来屋里避一避吧！”

“谢谢孩子们！”老爷爷边脱去外衣边说。

“老爷爷，您从哪里来，要到哪里去呀？”草莓玉米夏洛特关心地问道。

“我是来自中国的沈教授，听说前往地心的通道里有许多神秘的象形文字，这次是专门去研究的。”

“哈哈！那您可找对地方啦，等雪停了我为您引路！”橙子阿阳得意地说，“我是阿阳，也来自中国，上次我带着大家去地心，确实发现了很多神秘的图案。”

“真的吗？太好了！”教授眼睛一亮，“我们做些准备就可以出发。”

“教授爷爷，您需要什么请告诉我，我来准备。”橙子阿阳说。

“我要把所有的洞穴壁画都记下来，需要能够写字的材料，越多越好。”教授感激地说，“我带来的宣纸被暴风雪吹跑了。”

“我可以找葡萄玛蒂尔达帮忙。”橙子阿阳欢快地跑开了。

这时，南瓜皮蒂慌张地跑过来：“不好了！卡洛斯家里好多花生都长毛了！”

“啊！这可怎么办啊？！”花生卡洛斯紧张得不知所措。

“走，我们去看看！”教授跟着果仁们走进了花生家族的房间。

“那些长毛的花生是发霉了。”教授看到许多花生都有这个毛病。

“什么是发霉？”花生卡洛斯焦急地问。

“发霉，就是受到一种细菌的感染。这房间又潮湿、又阴暗，更容易发霉。”

小花生罗姆捂着肚子直哼哼，教授轻轻地摸了摸他手腕的脉搏。“您会给我打针吗？罗姆不哭！”小花生罗姆含着眼泪差点就哭出来了。

“小罗姆放心，你还没有发霉，不用打针！”教授的话刚说完。

“哈哈，太好了，不用打针啦！”小花生罗姆倒是笑了，可那些发霉长毛的花生“哇”地一下都哭了！

“孩子们，不要哭！”教授赶紧安慰，“你们也不是必须要打针的，中医讲寻根问因，也就是找到发病的原因。你们明天换一个阳光充足的房间，发霉的病很快就会好起来。”

“很明显，小花生罗姆的果仁是瘪的。”教授走出房间对花生卡洛斯说，“生病的花生都存在抵抗力低的问题，我们必须找到原因。你们想一想，果仁小镇发生过什么事情没有？”

花生卡洛斯想了半天也没想起什么。

“我出生那一年，花生家族曾被几只田鼠偷袭，后来果仁们把田鼠打跑了，就再没发生过这样的事。”草莓玉米夏洛特回忆说，“因为没有了田鼠的威胁，花生卡洛斯的家族取得了大丰收。”

“这可能就是病因！”教授恍然大悟，“大鱼吃小鱼，小鱼吃虾米，所有的生命一生下来就要吃食物，也可能成为别人的食物。自然界的食物链一旦被破坏，身体的健康就会受到危害。”

啊？这么说我们要请那些田鼠回来吃我们啦？
花生卡洛斯觉得不可思议。

“别担心，教授爷爷一定有办法。”草莓玉米夏洛特安慰道。

教授想了一下，说：“在我进入地心的时候，你们需要做两件事，就可以帮助花生家族度过危机。”

“您快说说，是哪两件事呢？”小辣椒萨尔玛迫切地问道。

“第一件事，是想办法和田鼠交朋友，多请他们吃饭，这样花生的身体出于自我保护会迅速分泌一种促进 DNA 修复的远古酶，这种酶可以使身体健康。

“第二件事，是要想办法取到花生家乡——秘鲁的土壤和河水，春天的时候用他们盖房子，花生住进去病就彻底好了。”

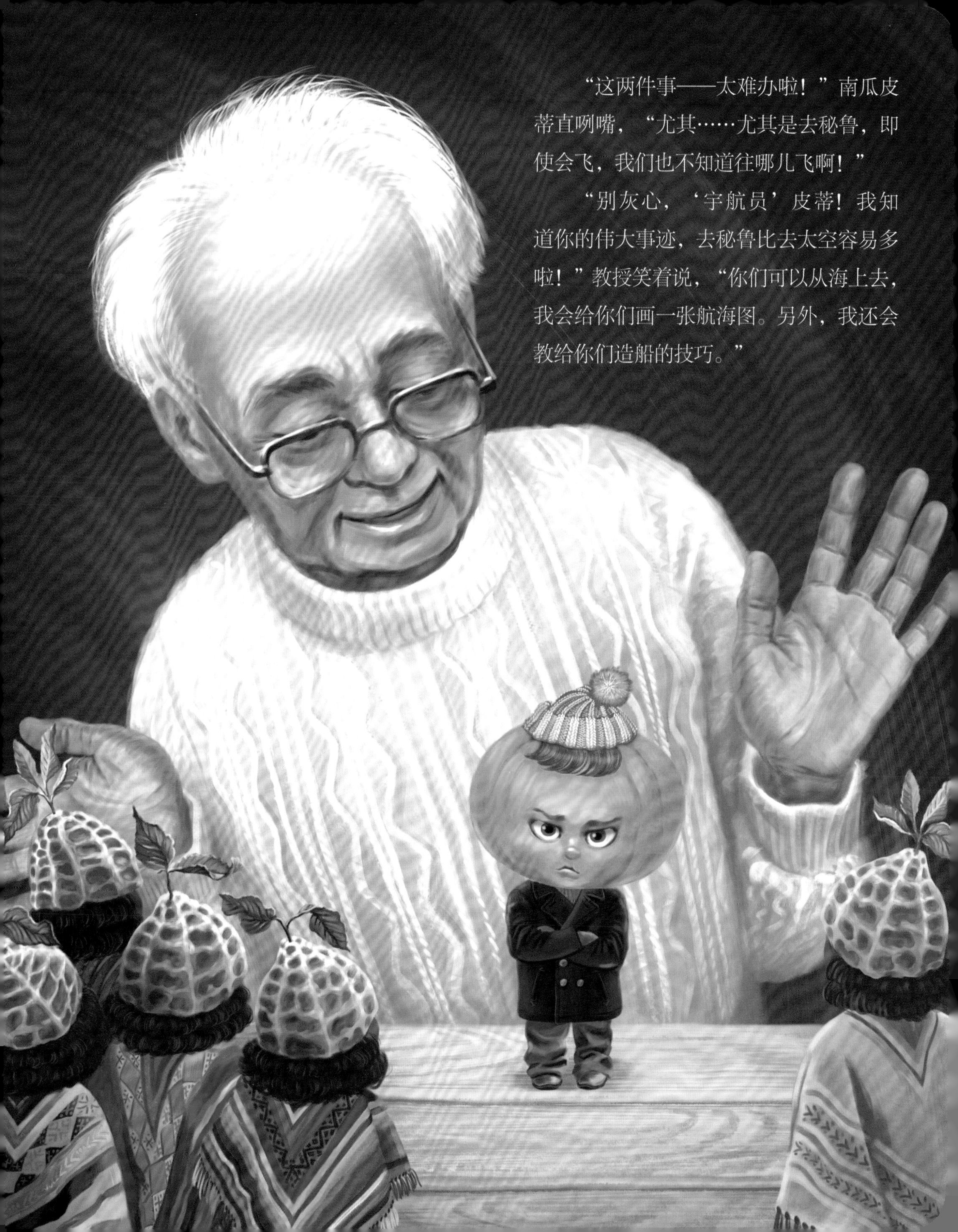

“这两件事——太难办啦！”南瓜皮蒂直咧嘴，“尤其……尤其是去秘鲁，即使会飞，我们也不知道往哪儿飞啊！”

“别灰心，‘宇航员’皮蒂！我知道你的伟大事迹，去秘鲁比去太空容易多啦！”教授笑着说，“你们可以从海上去，我会给你们画一张航海图。另外，我还会教给你们造船的技巧。”

第二天，果仁们早早地钻出了被窝，一个个兴高采烈地开始跟教授学习造船。教授连夜绘制了航海图和造船图纸，他详细地给果仁们讲解船体骨架、甲板、船舱、风帆等部件的制作方法和比例，又教给他们如何驾驶帆船。

一切就绪后，教授带上葡萄玛蒂尔达为他准备的葡萄叶，跟着橙子阿阳来到了地心入口。“我们下去啦，祝你们好运！”教授挥了挥手。

“祝您早日成功！教授，带着您的新发型回来！”前来送行的玉米冈萨雷斯说完后哈哈大笑。

果仁们分头行动：草莓玉米夏洛特带着开心果柯拉、火龙果千慧和一部分花生，准备用老办法“诱惑”田鼠；卡洛斯带着花生兄弟和南瓜皮蒂、小辣椒萨尔玛，用花生壳成功建造了**“果仁号”**帆船，而黏合花生壳所用的强力胶水竟是花生酱……

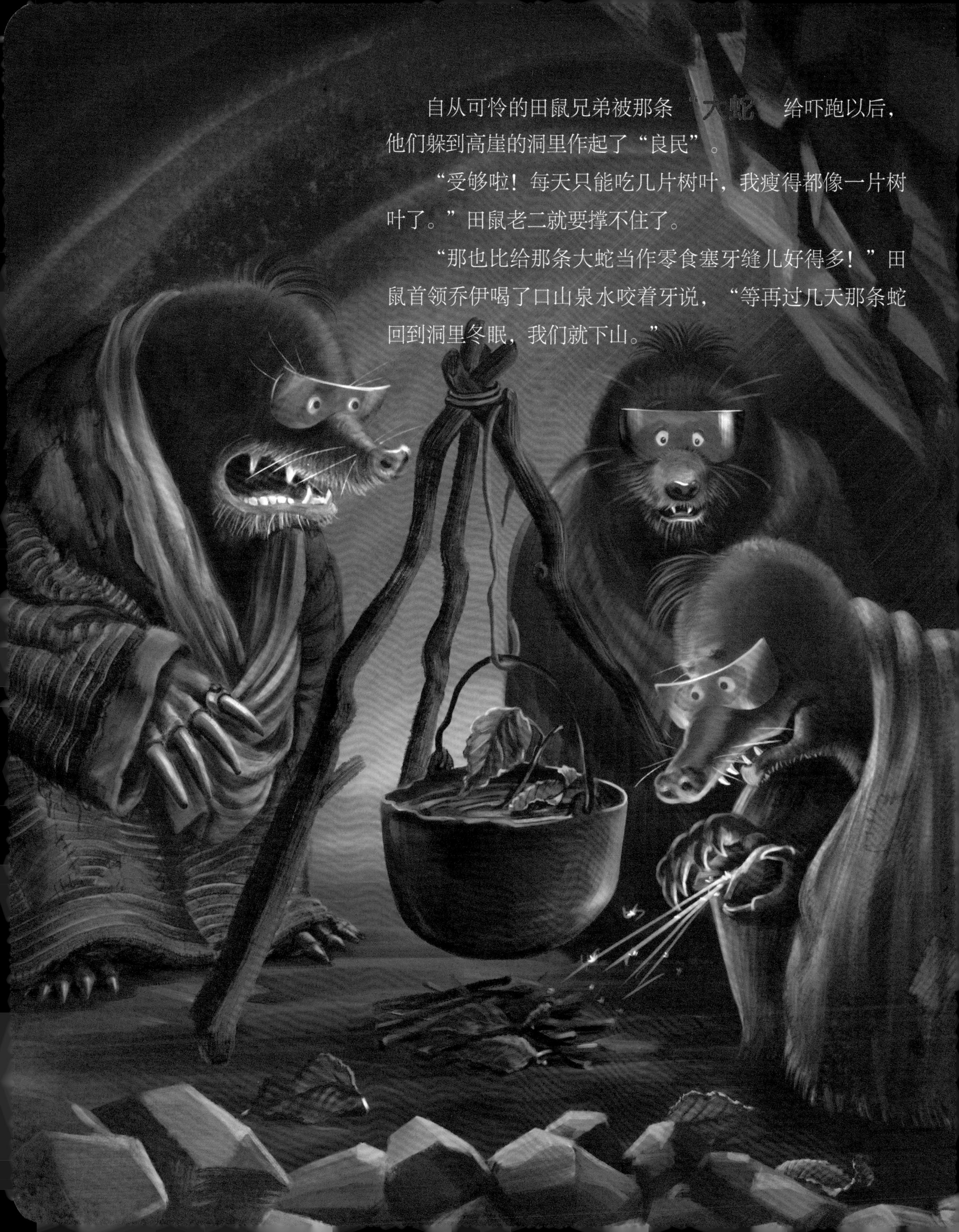

自从可怜的田鼠兄弟被那条“大蛇”给吓跑以后，他们躲到高崖的洞里作起了“良民”。

“受够啦！每天只能吃几片树叶，我瘦得都像一片树叶了。”田鼠老二就要撑不住了。

“那也比给那条大蛇当作零食塞牙缝儿好得多！”田鼠首领乔伊喝了口山泉水咬着牙说，“等再过几天那条蛇回到洞里冬眠，我们就下山。”

正说着，果仁们用种子在山脚下拼合成了“美味的奶酪”“肥美的烧鸡”和“让人吞口水的火腿”。山洞里的田鼠们看见了馋得直流口水，却仍然不敢下来。

“看见这么多好吃的竟然都不下来，还有什么更能吸引田鼠呢？”草莓玉米夏洛特原地转了几圈，想出了一个奇妙的点子：用雪做一只美丽动人的雌田鼠！

这下田鼠们立刻忘记了什么是危险和恐惧，各自开始了精心打扮：最小的田鼠打扮成了牛仔，骑着木牛冲了下来；田鼠老二打扮成了嬉皮士，抱着吉他跑了下来；田鼠首领乔伊则打扮成了一个绅士，戴着用鸡蛋壳改成的礼帽，彬彬有礼地走了下来。

与此同时……

前往秘鲁的“果仁号”一开始还一帆风顺，即便遇到海盗也被卡洛斯兄弟、南瓜皮蒂和又辣又勇敢的小辣椒萨尔玛击退。他们依靠教授绘制的航海图成功到达秘鲁，并从酋长那里取得了足够多的土壤和河水。在返航途中的一个风雨天，船因为狂风失去控制触礁，果仁们拼尽全力保护来之不易的土壤和河水不被淹没，就在这个时候……

一支由200多艘巨型海船组成的庞大舰队驶了过来，原来是中国的航海家郑和正在美洲友好访问。郑和船长帮助果仁们将秘鲁的土壤和河水带回了果仁小镇，凡尔纳先生用自己酿制的美味葡萄酒热情招待了郑和船长。

冬天即将过去。果仁们与田鼠终于成为了好朋友，不光是花生家族，开心果家族和玉米家族都十分乐意请田鼠吃饭。

“我们来，我们吃，好朋友，勾手指，不浪费粮食，妈妈夸我好绅士！”田鼠老二愉快地唱着歌。

“咱们吃得香，也怕黄鼠狼，夜里如果跑得慢，当心猫头鹰的嘴儿长！”田鼠首领乔伊又唱了一首“励志歌曲”。

“让我们田鼠为你们果仁做点什么呢？”最小的田鼠忽然想到该为朋友做点事情。

“你们跑得那么快，就做我们的坐骑好不好？”草莓玉米夏洛特调皮地说。

“非常乐意效劳！”田鼠首领乔伊绅士地欠了欠身。

教授终于回来啦！而且，带着他的新发型——岩浆理发师认为教授是他见过最有智慧、最热情，同时也最执着的人——就像太阳一样，于是就为教授理了一个太阳神阿波罗的发型！

教授在三万张葡萄叶上画满了洞穴壁画，大家惊奇地发现这些葡萄叶上的壁画组成了一幅奇妙的图案：一边是太阳，一边是月亮。

“哇！好酷的双黄鸡蛋！”南瓜皮蒂说道。

“地球的智慧果然是‘阴阳平衡’！”教授激动地说，“世间万物之间的关系都是既合作又竞争。”

教授热烈祝贺果仁们从秘鲁取到了土和水，还与田鼠成了朋友：“卡洛斯，现在，用你家乡的土和水去盖花生家族的新房子吧，一切都会好起来！”

明媚的春天里，大家又开始了一年中最重要的事情——盖房子。教授该回国了，临走之前教授愉快地接受了凡尔纳先生的邀请——使用他的新发明品尝葡萄酒！作为回赠，教授为凡尔纳先生写了一幅中国的书法作品——

果仁小鎮

档案

花生卡洛斯

角色介绍

长相可爱，总是一副萌萌的样子，深爱秘鲁文化，这一点通过服装和皮肤上的油彩就可以看出来，并且影响着整个花生家族。当卡洛斯和花生家族集体出现的时候，人们往往会认为这是一场正在进行的盛大的秘鲁文化嘉年华。

小朋友，你有一条智慧链接，请查收……

嗨，小朋友好，我是花生卡洛斯。这次回秘鲁采集土壤和河水是一次非常难忘的经历，因为我借这个机会回到了祖国，虽然十分短暂，也使我思念故乡的心得到了安慰。虽然生活在果仁小镇无比快乐，有那么多的好朋友关心我，但我还是那么地想念我的祖国。小朋友，你们有过这样的感觉吗？

角色介绍

沈教授

充满智慧和历史使命感，为寻求真理独自穿行在世界各地，不畏艰险。沈教授是大学者和书法家，有 16 个字送给爱好书法的小朋友：弘扬原创，尊重个性，书内书外，艺道并进。

小朋友，你有一条智慧链接，请查收……

亲爱的小读者，你好，我是沈教授。果仁小镇之旅使我很开心，不是因为岩浆理发师为我理了一个太阳神的发型，而是因为我通过中医之道帮助花生家族恢复了健康，还有就是我在地心的壁画中领悟了“地球的智慧”——阴阳平衡。“阴”与“阳”遍布我们的世界，你有必要知道一些，如：黑夜是阴，白天就是阳；运动是阳，安静就是阴。小朋友，你能说出几样你所知道的“阳”和“阴”吗？

角色介绍

葡萄玛蒂尔达

性格古灵精怪，长相漂亮，因为被鹦鹉阿尔蒂尔吃进肚里带到了果仁小镇。这个“倒霉”的经历使她成了凡尔纳先生的最爱——因为她会为凡尔纳先生酿制甜美的法国葡萄酒。

小朋友，你有一条智慧链接，请查收……

亲爱的小朋友，你好，我是葡萄玛蒂尔达。大家都知道法国的葡萄酒闻名于世界，尤其是我亲自酿造的更是只给最好的朋友品尝。可是，当我听说田鼠们要来喝我的葡萄酒时，心情真是沮丧！不过，为了花生卡洛斯家族的健康，尽管不情愿，我还是拿出了最好的葡萄酒请他们品尝。你猜接下来发生了什么？没想到我竟然和以前最讨厌的家伙成了好朋友，而我发现他们竟也有许多的优点！你说神奇不神奇？

角色介绍

郑和

航海家、外交家。郑和少年时期在明朝军队服兵役，南征北战，参加过好几场重大的战役，经受住了战火的考验，培养了卓越的领导才能。这些经历为他未来在海上探险、开展和平外交奠定了关键的基础。

小朋友，你有一条智慧链接，请查收……

正在听故事的小朋友，你好，我是航海家郑和。许多人只是听说我的船队多么浩大、装备多么先进，我来告诉你，只有我们知道船队在海上的岁月里发生过什么事，所谓的“先进科技”在大自然面前根本不堪一击，支撑我们走到最后的，是永不放弃的信心，以及船员们团结友爱的关系。

致谢

本书中，果，即因果，是自然界的规律；仁，即仁爱，是人完成生命旅程的至高境界。

果仁，指那些明理、充满梦想、仁爱、勇敢的种子。

衷心感谢沈鹏先生和袁熙坤先生对我的启迪和支持，以及所有为本书的出版提供帮助的朋友！

特别感谢我的爱人晓玫在本书长达三年多的创作时间里的倾心投入，祝愿我们用心播种的这颗种子，为启发更多儿童的想象力和爱心发挥作用。

因仁而果——果仁小镇之歌

词／张合军

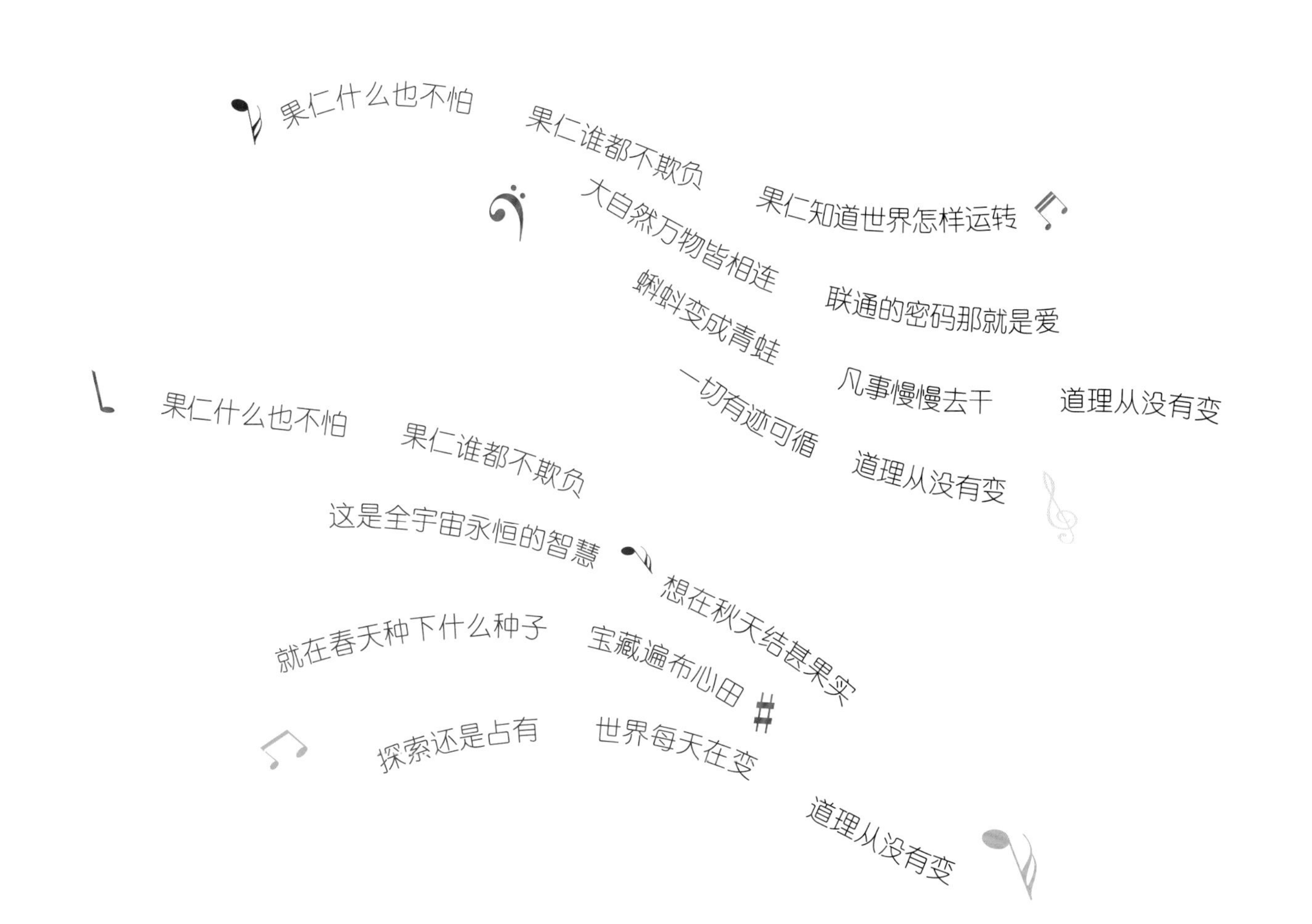